PÀIRC NAM FIADH-BHEATHA

Dha Nera, Fionn, Ruth, Tadhg agus Maia,
sàr-sheanchaidhean uile – S.C.

A' chiad fhoillseachadh sa Bheurla am Breatainn ann an 2019 le Egmont UK Earranta,
The Yellow Building, 1 Nicholas Road, Lunnainn W11 4AN
www.egmont.uk

An t-eagran seo air fhoillseachadh ann an 2021 le Egmont
Meur de HarperCollins Publishers, 1 London Bridge Street, Lunnainn SE1 9GF
www.harpercollins.com

HarperCollins Publishers
1st Floor, Watermarque Building, Ringsend Road, Baile Àtha Cliath 4, Èirinn

Tha e na uallach oirnn ar dleastanas a dhèanamh a thaobh ar planaid agus ar co-chreutair. Tha e na amas againn pàipear a chleachdadh bho choilltean air an deagh ruith le luchd-solaraiche earbsach.

A' chiad fhoillseachadh sa Ghàidhlig 2021 le Acair,
An Tosgan, Rathad Shìophoirt, Steòrnabhagh, Eilean Leòdhais HS1 2SD

info@acairbooks.com www.acairbooks.com

An tionndadh Gàidhlig le Johan Nic a' Ghobhainn An dealbhachadh sa Ghàidhlig le Mairead Anna NicLeòid

Tha Acair a' faighinn taic bho Bhòrd na Gàidhlig.

Gheibhear clàr catalog CIP airson an leabhair seo ann an Leabharlann Bhreatainn.

Clò-bhuailte ann an Sìona

LAGE/ISBN 978-1-78907-086-6

Riaghladair Carthannas na h-Al
Carthannas Clàraichte/
Registered Charity SC047866

AN

SGEULACHD A BU

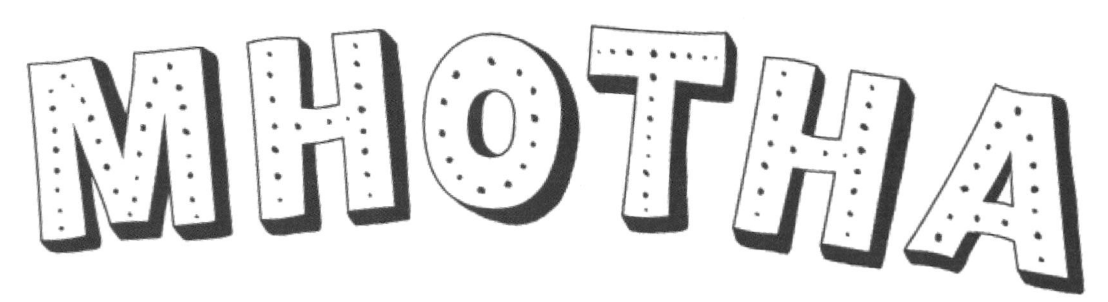

SARAH COYLE

DAN TAYLOR

Dh'innseadh màthair Errol na **sgeulachdan a b' fheàrr** a bh' ann. Bha iad an-còmhnaidh làn spòrs agus othail. Aon fheasgar, nuair nach robh an còrr ri dhèanamh, bha fios aig Errol gur e sgeulachd an dearbh rud a bha a dhìth air.

Gu mì-fhortanach, bha trioblaid leis na pìoban.

"Tha mi duilich, Errol," ars a mhàthair. "Cha tèid seo a chur ceart leis fhèin. Nach smaoinich **thu fhèin** air sgeulachd?"

Phriob e a shùilean, le iongnadh.
Chrath e a cheann an uair sin.

"Chan urrainn dhòmhsa sgeulachd innse.

Chan eil fhios a'm càit an tòisich mi."

"'S ann agad a tha,"
ars a mhàthair.
"Feuch air."

A-muigh sa ghàrradh, rinn Errol fìor oidhirp smaoineachadh air sgeulachd. Ged a bha e a' leum dhan adhar, cha do leum beachd sam bith a-mach.

Agus cha tug a bhith na sheasamh air a cheann dìreach airson mionaid ach cluasan goirt dha.

Bha e cho trang a' smaoineachadh 's nach tug e an aire dha na **seanganan** gus . . .

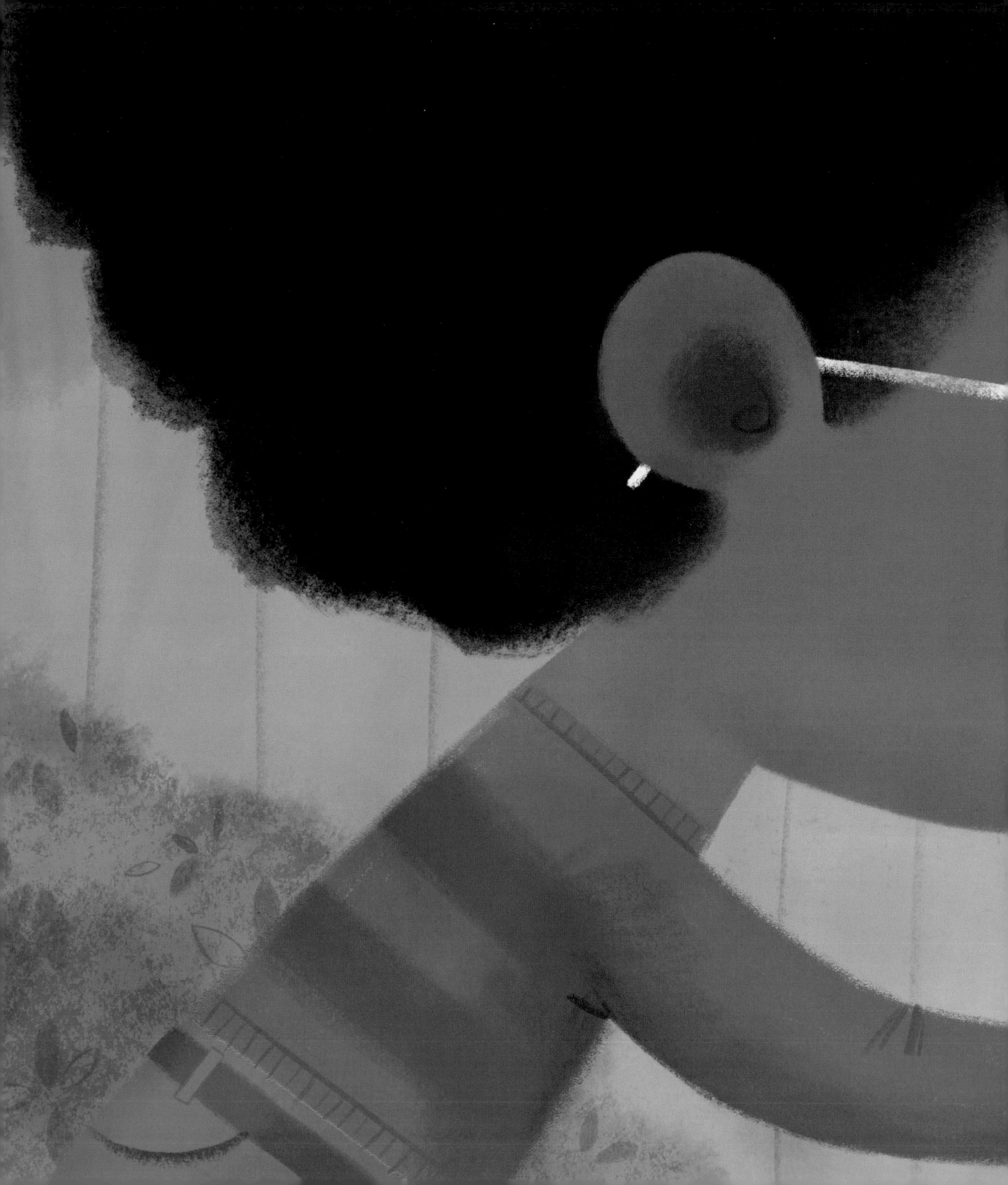

"Pssst!"
ars an seangan a bu mhotha.
"Cha b' urrainn dhuinn gun
a bhith a' farchluais agus
a' cluinntinn gu bheil thu dol
a dh'innse **sgeulachd**.
Am bi seanganan ann?"

"Uh . . .
WOW, tha fios gum bi,'
ars Errol.
Cha robh e air
coinneachadh ri seangan a
bhruidhneadh roimhe seo.
'S dòcha gum b' urrainn
do bheathaichean eile
bruidhinn cuideachd?

"Um . . ."
arsa guth iosal.

Bha cat a' sgròbadh cas Errol.
"'Eil fhios agad ..." ars ise. "Bidh **cait** anns na sgeulachdan as fhèarr a th' ann."

Le ùpraid eagalach, nochd a h-uile cat san nàbachd air bàrr an fheansa. Shuidh iad uile aig astar modhail bho chèile. Tha cait dèidheil air rùm gu lèor a bhith aca.

"Seadh, dè a tha thu ag ràdh?" arsa cat sligeanach.
"A bheil àite do chait anns an sgeulachd agad?"

Seanganan agus cait! Bha sgeulachd Errol a' fas nas fheàrr mar-thà.

"Mmmm," thug Errol sùil timcheall a' ghàrraidh. "Dè an còrr a tha a dhìth air an sgeulachd agam?"

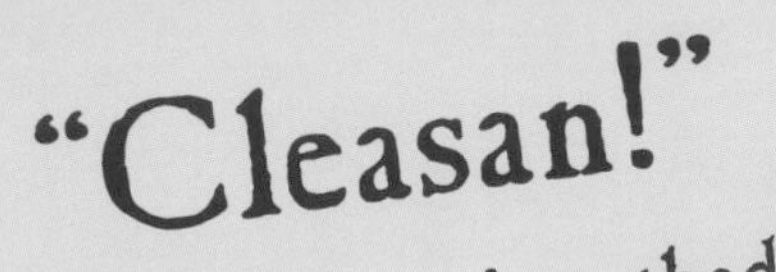

"Cleasan!"

Dh'èigh caora, a' suathadh sa gheata is i
a' leum dhan ghàrradh.
An dèidh sprùilleach de sgealban,
lean grunn de chaoraich eile i.

"Feumaidh tu **miastadh**!
Spreagadh!
Paraglaidhdeadh!
Bidh caoraich gan
dèanamh uile."

"Ceart," ars Errol le fiamh a' ghàire.
Bha a h-uile càil aige a bha a dhìth air airson an sgeulachd a thòiseachadh.

Ach an uair sin . . .

. . . thàinig crith is crathadh san talamh. Thàing treud de na cait chaola nam màl tron fheansa. Thàinig ailbheanan, laghairtean, pandathan, muncaidhean, eadhon liopard seang, air an sàil.

"Seadh . . ." ars an liopard is e air bhoil. "Thathas ag ràdh ann am pàirc nam fiadh-bheatha gu bheil thu ag innse sgeulachd. Deagh naidheachd!! Cuimhnich oirnne!"

Rinn Errol fead ìosal. Airson a h-uile duine fhaighinn a-steach, dh'fheumadh an sgeulachd seo a bhith **mòr**. "Ceart," ars esan. "Ach sin e gu cinnteach. Chan eil àite againn airson creutair sam bith eile. Eadhon . . ."

"DÌNEASARAN!"

dh'èigh a' chaora.

Sheas Stegosòras agus biast mhòr de T. rex
gu toilichte agus an casan gus a dhol fodha sa ghlasaich.
"'S fhiach siubhal tro thìm is tron fhànas airson sgeulachd ùr,"
mhìnich an T. rex.

"Cuimhnich, bha sinne sa chiad sgeulachdan a-riamh,"
ars an Stegosòras gu pròiseil.
"An dòchas gum bi an tè seo a cheart cho math . . ."

Bha an luchd-èisteachd uile nan tost, a' feitheamh ris an sgeulachd tòiseachadh. **Rinn slugan Errol fuaim.** Bha e a' faireachdainn gun robh e air cus piotsa ithe . . . agus gur ann à seileanan a bha am piotsa dèanta.

Am biodh an sgeulachd aige gu feum?

"Tha mo thì agam!" Shuidh màthair Errol sìos ach cha tug i an aire gun robh a sèithear air a cuartachadh le muncaidhean. "Tha mi deiseil airson do sgeulachd!"

Rinn Errol gàire rithe. Tharraing e anail an uair sin agus **thòisich** ...

AN SGEULACHD A BU MHOTHA

Ò, MO CHREACH! THA T.REX ANN AN TRIOBLAID ANN AM MEADHAN ...

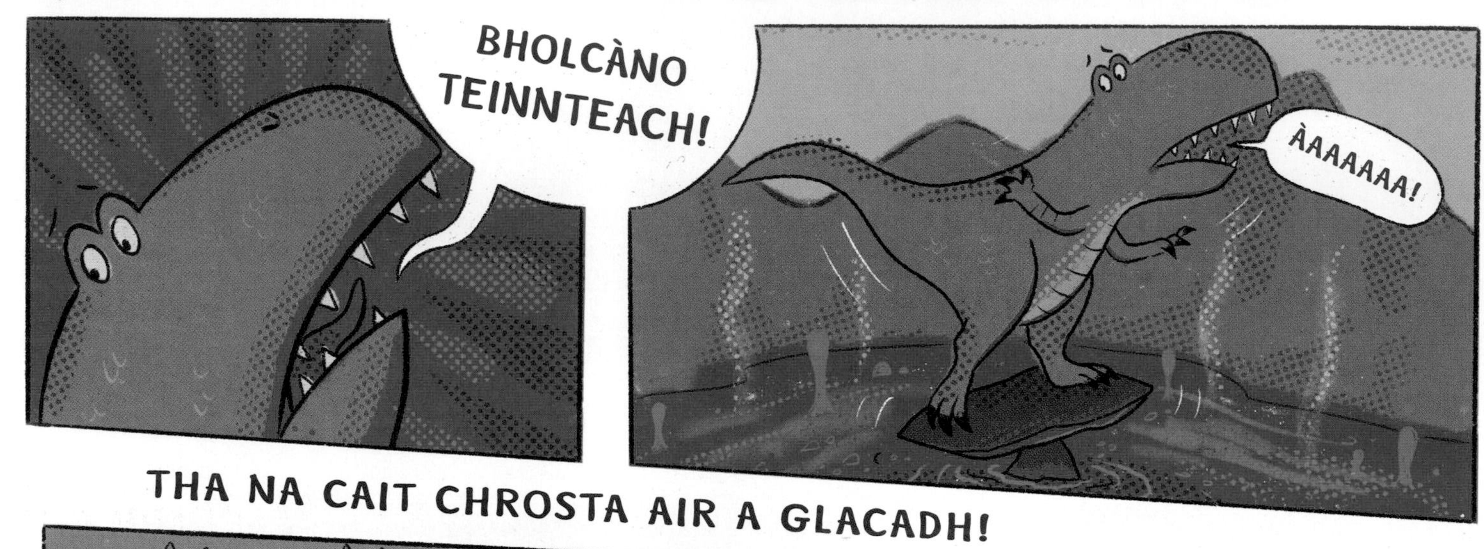

THA NA CAIT CHROSTA AIR A GLACADH!

ACH CÒ A NOCHD ACH CARAIDEAN T.REX!

T.REX BHOCHD. CHAN URRAINN EADHON A CARAIDEAN A CUIDEACHADH A-NIS.

AN E SEO E AIRSON T.REX?!

FUIRICH! CHAN E, CHA GHABH A CHREIDS' . . .

’S IAD! NA CAORAICH CALMA! GLAIDHDEAR GLIC! ROCAID! SAIGHEAD SPEURACH!

"An Deireadh!" ars Errol.
Chaidh diogan seachad . . .
agus chaidh an luchd-amhairc . . .

ÀS AN CIALL!

Beathaichean a' bualadh bhoisean, ag èigheach 's a' stampadh.

Bha dìneasaran a' dannsa, seanganan a' dèanamh char a' mhuiltein,

cait a' crònan mar lomairean-feòire agus caoraich

a' riagail air feadh a' ghlasaich.

Chuir màthair Errol a dà làimh timcheall air gu teann.

"B' e siud an sgeulachd a b' fheàrr agus a bu mhotha a chuala mi a-riamh!" dh'èigh i. "Tòrr nas fheàrr na gin dhen fheadhainn agamsa."

Sgìth ach toilichte, chaidh Errol suas an staidhre airson leum dhan amar. Bha e a' faireachdainn gu math pròiseil. Bha e air a sgeulachd fhèin innse agus bha a cheann làn bheachdan airson tuilleadh sgeulachdan.

Greiseag an dèidh seo, bha bàta Errol a' seòladh seachad air beanntan builgeanach, nuair a chuala e gnogadh beag air an uinneig.

Chuir cailleach-oidhche a ceann beag tron uinneig fhosgailte, "A bheil mi ro anmoch airson na sgeulachd agaibh?"

"Tha," ars Errol. A' dol tarsainn uisgeachan domhainn cunnartach, thòisich am bàta a' tulgadh. "Ach innsidh mi tèile dhut.

Tha e a' tòiseachadh air **muir stoirmeil** . . ."

Bha tòrr spòrs aig Errol a' cruthachadh a sgeulachd.
Nan innseadh tusa sgeulachd, cò mu dheidhinn a bhiodh i?
An dèidh beagan eacarsaich, feuch iad seo airson tòiseachadh.

Tagh ainm

....

....

....

agus buadhair

Steigeach 

Draoidheil 

Biastail 

Èibhinn 

Luath 

Do-chreidsinneach 

Mirean-measgaichte

Coinneal

Teadaidh

Bruis-peantaidh

Bòtann

Pàipear-naidheachd

+

Spreadhadh

Soitheach-fànais

Òrain

Dàn'-thuras

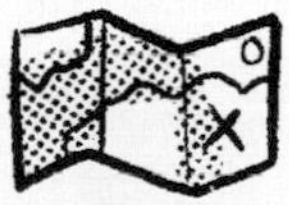

Preusant

Stoirm

+